W9-DDK-139

Colección **libros para soñar**

© del texto: Joel Franz Rosell, 2012

© de las ilustraciones: Giulia Frances Campolmi, 2012

© de esta edición: Kalandraka Ediciones Andalucía, 2012

Avión Cuatro Vientos, 7. 41013 Sevilla
Telefax: 954 095 558
andalucia@kalandraka.com
www.kalandraka.com

Impreso en Gráficas Anduriña, Poio - Pontevedra
Primera edición: enero, 2012
ISBN: 978-84-92608-48-5
DL: SE 8887-2011
Reservados todos los derechos

MIXTO
Papel procedente de
fuentes responsables
FSC® C104983

El paraguas amarillo

Joel Franz Rosell · Giulia Frances

kalandraka

En aquella época todos los paraguas eran negros,

pardos o, si acaso, de color azul de Prusia o verde oscuro.

Así que, cuando apareció en la fábrica aquel paraguas amarillo,
todo el mundo se quedó frío.

Un paraguas de semejante color no estaba en los planes,
ni en los catálogos, ni en los pedidos.

No tardó en venir el jefe de Control de Calidad

y, blandiendo el paraguas diferente

como si se tratara de un garrote, preguntó:

—¿Quién fabricó esto?

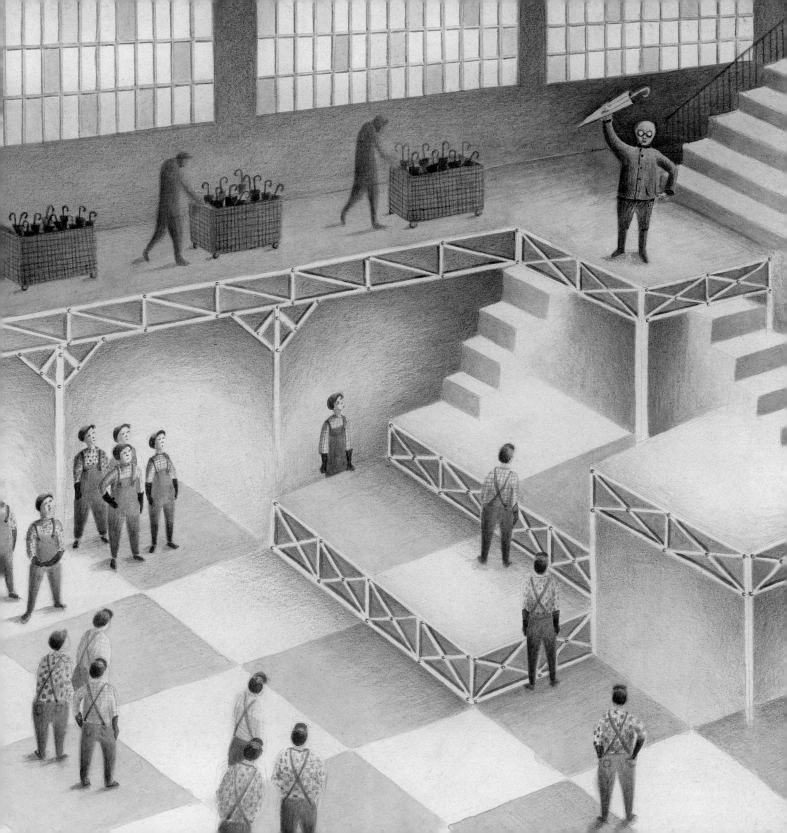

El obrero que lo había hecho, no se atrevió a confesar que,

mientras estaba ante su máquina paragüera,

aburrido de apretar siempre los mismos botones

VARILLAS, EMPUÑADURA, FORRO;
VARILLAS EMPUÑADURA FORRO;
VARILLASEMPUÑADURAFORRO...!

había tocado la palanquita especial

TINTE AMARILLO POLLITO

pensando en lo lindo que se vería

un paraguas color de sol bajo la lluvia.

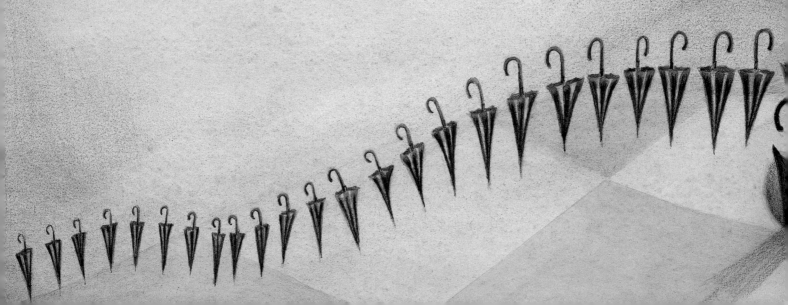

Como no apareció ningún culpable

a quien poder rebajarle del salario

el costo de aquel paraguas,

el jefe de Control de Calidad

volvió con él al Departamento de Acabado

y lo metió en una de las fundas negras.

«Total, amarillo tapa igual —se dijo—. Allá al que le toque.»

Y lo colocó en una caja junto a diecinueve paraguas,

todos oscuros.

Los paraguas pasaban el tiempo

soñando con conocer

los aguaceros primaverales,

los chaparrones del verano,

las turbonadas otoñales

y los chubascos del invierno.

Así no sentían pasar las semanas

en el almacén de la fábrica.

Y llegó el día en que los llevaron hasta

unos grandes almacenes en los suburbios.

En la tienda conocieron perfumes, relojes

y adornos de todo tipo, pero no tuvieron tiempo

de hacer amistades, porque era época de lluvias.

El primer día vendieron todos los paraguas negros,

el segundo día vendieron todos los paraguas pardos,

el tercer día, todos los paraguas azul marino

y la mitad de los verde oscuro.

Y así hasta que solo quedó el paraguas amarillo.

—Me la jugaron con este —dijo el gerente cuando se percató.

Y no sabiendo hacer nada mejor con aquel paraguas diferente,

lo colocó en un escaparate, bien abierto,

como un girasol gigante,

entre dos pescados de porcelana,

unas flores de plástico fosforescente

y un frasco de perfume

que se parecía demasiado

a uno de jarabe para la tos.

El paraguas comprendió enseguida que en aquel escaparate
no estaban las mejores mercancías de la tienda,
sino los artículos de saldo o los que habían sido devueltos.

—¡Con las lluvias tan hermosas que están cayendo!
—suspiraba el paraguas amarillo.

—¡No te amargues, muchacho! —le aconsejó
uno de los peces de cerámica—. Aquí se vive muy bien.

—Pues yo me enfermo al pensar que mis hermanos
están trotando bajo la lluvia, mientras yo sigo aquí,
tan seco como cuando salí de la máquina paragüera...

Las flores de plástico rutilante

se solidarizaron con él y le dijeron a coro:

—No hay por qué desesperar,
con el polvo y con el sol
se apagará tu color
y el comprador llegará.

Pasaron unos meses y el paraguas estaba convencido

de que su destino sería el mismo que el de los peces feos,

las flores de colores chillones y el frasco de perfume equivocado.

Pero un día, entró en la tienda un hombrecito narigudo,
de boca grande y pelo pajizo, y pidió el paraguas
que estaba en el escaparate.

—¿El amarillo? —se asombró la vendedora.

—Ese y no otro es el que yo necesito.

El paraguas se puso tan contento que no reparó en la fealdad
de su nuevo dueño y de tan nervioso, no atinó a despedirse
de sus compañeros de escaparate, ni supo plegar sus varillas.

«¡A ver si cree que estoy roto y se arrepiente!», pensó aterrado.

Pero no, el comprador ni siquiera lo revisó.
Pidió que se lo envolvieran y salió con él debajo del impermeable.

A pesar de las muchas penas de su corta vida, el paraguas amarillo

nunca se había sentido tan decepcionado y ofendido:

¿Es que aquel tipo no comprendía que para un paraguas

es imprescindible estar abierto bajo la lluvia y sentir

el tamborileo de las gotas en su tela bien estirada?

No, no se daba cuenta.

Ni aquel día, ni ningún otro, se dio cuenta:

¡el hombrecito nunca salió con el paraguas en días de lluvia!

En el único sitio donde desplegaba la flamante tela

color girasol era en su centro de trabajo que, para colmo,

era una especie de gigantesco paraguas de lona.

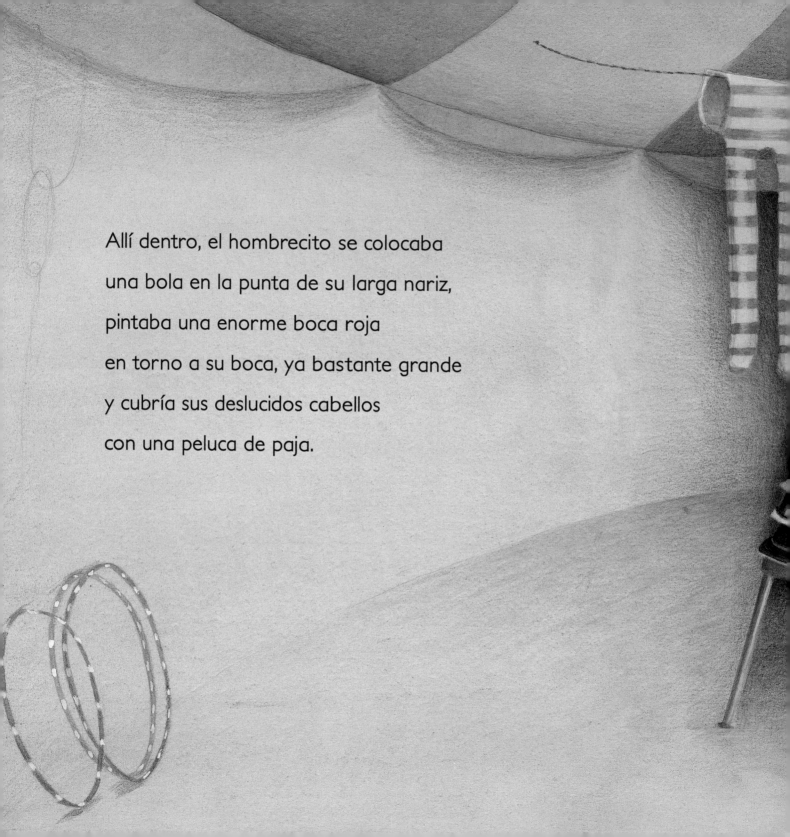

Allí dentro, el hombrecito se colocaba

una bola en la punta de su larga nariz,

pintaba una enorme boca roja

en torno a su boca, ya bastante grande

y cubría sus deslucidos cabellos

con una peluca de paja.

En su oficio de payaso, el paraguas le servía para hacer cabriolas,

malabarismos, trucos de ilusionista y mil monerías

que hacían reír y aplaudir a la gente que abarrotaba el circo.

—No es un mal trabajo —acabó por admitir el paraguas—

pero está muy lejos de lo que yo llamaría «la ilusión de mi vida»...

El paraguas nunca olvidó su sueño, el mismo que tuvo el obrero

al apretar la palanquita de tinte amarillo pollito:

ser como un pequeño sol deslumbrando en medio de la lluvia.

Sin embargo, cuando más sueña el paraguas

es cuando sale a la pista

en las manos enguantadas del payaso.

Por eso, la gente que va al circo

después de la rutina gris de sus días,

vuelve a casa contenta, como quien lleva

un girasol vivo dentro del pecho.